Le buveur
de dictionnaires

Loi n° 49-956 du 16 juillet 1949 sur les publications destinées à la jeunesse,
modifiée par la loi n° 2011-525 du 17 mai 2011.
ISBN 978-2-09-255660-3
N° éditeur : 10205853 – Dépôt légal : mai 2015
Achevé d'imprimer en avril 2015 par Pollina (85400 Luçon, Vendée, France) - L71888

ÉRIC SANVOISIN

LE BUVEUR D'ENCRE

Le buveur
de dictionnaires

Illustrations de Olivier Latyk

Nathan

un

Ma paille
s'est mouchée...

Q<small>UAND J'ÉTAIS PETIT,</small> je n'aimais pas les livres. Mais le jour où Draculivre est entré dans ma vie, il m'a mordu, et je suis devenu un buveur d'encre. Depuis, j'ai tout le temps soif...

Avec Carmilla, ma fiancée, j'ai bu les plus belles histoires. Nous avons inventé une paille spéciale à double embout pour partager l'encre des p'tits bouquins. À deux, c'est bien meilleur !

Depuis quelques jours, nous nous sommes découvert une nouvelle passion : les mots croisés. Le jeu consiste à remplir des grilles avec des mots qu'il faut deviner grâce à une définition. Le but est de ne laisser aucune case vide. On peut y passer des heures !

– «Plante originaire d'Orient, cultivée sous le nom de blé noir pour ses graines alimentaires…» ai-je lu à voix haute.

– Qu'est-ce que ça peut être, Odilon ? m'a demandé Carmilla, rêveuse.

– D'après la grille, le mot compte huit lettres et commence par «SA».

– C'est déjà un début, mais «SA» ne suffit pas ! a-t-elle gloussé.

– Je vais chercher dans le dictionnaire tous les mots qui commencent par ces deux lettres !

Et c'est ce que j'ai fait ! Mais des mots qui débutaient par S et A, il y en avait vraiment

beaucoup. Au bout d'un moment, j'ai eu mal aux yeux à force de fixer les petites lettres de mon dictionnaire de poche. Je me suis arrêté sur un mot bizarre et inconnu : « salmigondis ». Il y avait plusieurs définitions. Il était rigolo, ce mot, il m'intriguait. J'avais bien envie de savoir quel goût il avait. J'ai sorti ma paille et je l'ai posée sur le mot, avant de l'aspirer…

SALMIGON… slurp !

Mais ma paille s'est bouchée, et je me suis étranglé.

– Mais qu'est-ce que tu fais, Odilon chéri ? Ça ne se boit pas, un dictionnaire ! Tu te rappelles ce que nous répète souvent maître Synonyme à l'école des buveurs d'encre ? « Les dictionnaires ne sont pas des livres comme les autres. On ne doit jamais essayer

de les boire, car un dictionnaire qui n'a plus tous ses mots ou toutes ses définitions est comme un oiseau sans ailes. Il n'est plus bon à rien…» Le vieux Synonyme ne plaisante pas quand il dit ça…

Oui, je m'en souvenais très bien. J'ai tenté de le lui dire, mais je toussais trop. J'avais avalé de travers le mot du dictionnaire. Mon amoureuse m'a tapé dans le dos pour m'aider à reprendre mon souffle.

– Merci, Carmilla. Tu m'as sauvé la mie!

Ma paille s'est mouchée. Je n'arrivais plus à transpirer. J'ai bien cru que j'allais pourrir…

– Qu'est-ce que tu racontes, Odilon? C'est une blague?

J'ai ouvert la bouche pour lui répondre, avec l'étrange impression que les mots ne m'obéissaient plus. Dans ma tête, ils étaient très clairs, mais dès que je les prononçais, ma langue fourchait.

– Non. C'est pas une bague ! Je ne sais pas ce qui se tasse. Je n'arrive plus à me faire étendre.

Nos regards, en se croisant, se sont percutés. J'ai compris que c'était grave. Il n'y avait pas un instant à perdre…

La zizanie dans ma bouche

– TONTON DRACULIVRE ! Tonton Draculivre !

Plié devant son bureau, le vieux buveur d'encre griffonnait quelque chose.

– Ouf, tu es là ! a soupiré Carmilla.

– Chut, voyons ! J'écris un poème et j'ai besoin de calme !

Depuis quelque temps, tonton buvait de la poésie pour le petit déjeuner. Et il s'était mis en tête de devenir un grand poète.

– C'est que… Odilon est très souffrant.

Il raconte n'importe quoi. Mais vraiment n'importe quoi !

– Silence, Carmilla ! Tu me déconcentres ! Je n'entends plus la musique des mots !

Ma fiancée est restée muette d'étonnement. Draculivre n'avait même pas levé le nez de sa feuille. Il se fichait complètement de ce qui m'arrivait. Ça m'a vexé. Alors j'ai pris mon courage à deux mains et, d'une voix tremblante, j'ai murmuré :

– Pourquoi est-il interdit d'égoutter les dictionnaires, tonton ? Est-ce que ça peut rendre marmelade ?

Sa main s'est immobilisée. Il a brusquement lâché son porte-plume, qui s'est planté dans le bois tendre du bureau. Puis le vieux buveur d'encre m'a fixé avec des yeux effarés comme si j'étais devenu un démon !

– Non, pas toi, Odilon ! Tu as osé boire un mot dans un dictionnaire ?

– Affirmatif, mouton Draculivre. Mais il y a quelque chose qui s'est goinfré…

– Malheureux ! Il ne fallait pas ! L'heure est très grave, car les mots sèment maintenant la zizanie dans ta bouche. Il faut d'urgence faire appel à un spécialiste. Venez !

Tonton Draculivre a abandonné son poème inachevé et s'est précipité dehors en flottant, comme à son habitude. Nous avons dû courir pour ne pas le perdre de vue.

Où nous emmenait-il ?

Aux mots bossus

LE VIEUX BUVEUR D'ENCRE n'a ralenti qu'en pénétrant dans une ruelle obscure.

– Où est-on, tonton ? s'est étonnée Carmilla. Je ne connais pas cet endroit.

– Moi gnon plus, je ne cognais pas ce détroit, ai-je essayé de dire à mon tour.

J'étais dépité. Je n'avais plus envie de parler. J'étais le buveur d'encre le plus ridicule au monde.

Draculivre s'est immobilisé devant une

vieille plaque de métal sur laquelle étaient
gravés ces quelques mots :

AUX MOTS BOSSUS
RÉMI CHAMOT
ORTHOPAILLEUR

Ensuite, il a sonné.
Au bout d'un long moment, un homme
est venu nous ouvrir. Il portait une barbiche
pointue en forme de couteau à huître.

– Rémi Chamot, pour vous servir. Si cer-
tains ont la bosse des maths, moi, j'ai la
bosse des mots ! Oh, mais c'est vous, mon
cher Draculivre, quel bon vent vous amène ?

– Hélas, ce n'est pas le vent qui nous
amène, c'est Odilon…

– Odiblond, chez moite, ai-je précisé.
Quelle honte ! Mais quelle honte ! Je ne
savais plus où me mettre.

Monsieur Chamot m'a longuement regardé

sans rien dire. Puis il a toussoté, avant de me tapoter le haut du crâne.

– Tu as de l'encre dans les yeux. Ce n'est pas bon, pas bon du tout…

Alors Carmilla lui a tout expliqué. L'ortho-pailleur l'a écoutée sans l'interrompre une seule fois.

– Venez dans mon cabinet, nous y serons plus à l'aise pour discuter.

Il nous a entraînés dans un couloir interminable qui donnait sur une petite pièce ronde.

– Waouh! s'est exclamée Carmilla en découvrant l'étonnante décoration de l'endroit.

J'ai préféré me taire. J'avais des crapauds-mots dans la bouche…

Mais je n'ai rien perdu du spectacle. Il y avait des pailles partout. Posées sur la cheminée, accrochées aux murs, alignées sur une étagère et même pendues au plafond.

– Vous aimez? s'est enquis monsieur Chamot. C'est ma collection de pailles. Elles sont toutes extraordinaires! Une paille-cœur pour les romans d'amour, une paille-pistolet pour les enquêtes policières, une paille rouge sang pour les histoires d'horreur, une paille-mouchoir pour les drames, une paille-tétine pour les albums des tout-petits… Et mille autres encore. Les pailles, c'est un peu ma spécialité!

Orthopailleur, ça signifiait quoi ? Créateur de pailles ? Ou simple collectionneur ? En attendant, il fallait être tordu pour posséder tout ça !

L'une d'elles me plaisait particulièrement : elle était énorme et possédait neuf embouts. J'en ai déduit qu'il s'agissait d'une paille destinée à une famille nombreuse. C'était un peu exagéré, car, à ma connaissance, personne n'avait neuf enfants à Dracuville…

Mais qu'est-ce qu'elle était belle !

quatre

Un accident de paille

— JE VOIS QUE MA COLLECTION vous intéresse, jeune homme. Les pailles, c'est ma passion. Tout petit déjà…

— Hum, hum, l'a interrompu tonton Draculivre. Une autre fois, Chamot. Il y a urgence !

— Oui, mon cher Draculivre, vous avez raison. Asseyez-vous donc. Je vais tout vous expliquer !

Nous nous sommes laissés tomber sur les

trois chaises que monsieur Chamot nous désignait, tandis que lui-même se contentait de poser ses fesses sur l'angle de son bureau.

– Je vais être bref. Voyons, par où commencer? Ah oui! Par le commencement, bien sûr! L'encre avec laquelle sont imprimés les dictionnaires est beaucoup plus épaisse que celle qu'on trouve dans les livres ordinaires. Elle a également un petit goût amer assez désagréable. Justement pour dissuader tout le monde de la boire. Comme vous l'avez appris à l'école, les romans se boivent sans risques, mais pas les dictionnaires!

– Je ne hachais pas ce qui m'a croupi, n'ai-je pu m'empêcher de dire.

– Il ne sait pas ce qui lui a pris, a aussitôt traduit Carmilla.

– Moi, je sais. Les enfants sont curieux et aiment faire des expériences, même quand on leur dit que c'est interdit ou dangereux. Il

n'y a pas que les enfants, d'ailleurs… Mais parfois il se produit un incident fâcheux…

Il me fixait d'un air navré. J'ai cru qu'il allait m'annoncer que tout était fourbu… euh, fichu ! Non ! Voilà que je me mettais à penser comme je parlais ! Catastrophe !

– Je vais te dire ce qui s'est passé, Odilon. Tu as eu un accident de paille. La tienne s'est bouchée, et tu n'as aspiré que le début du mot… Alors il est devenu comme fou et s'est mis à parcourir ton cerveau en tous sens, à la recherche de la partie qui lui manque. Tant qu'il ne s'arrêtera pas, ta langue continuera de fourcher. Ça risque même de s'aggraver.

– Il faut que je boive un boxeur? l'ai-je interrogé, plein d'espoir.

– Que tu boives un quoi?

– Je crois qu'il vous demande s'il doit voir un docteur, est intervenue Carmilla, qui me regardait avec des yeux épouvantés.

– C'est bien ce qui me semblait, a marmonné monsieur Chamot. Ça empire déjà. Hélas, un médecin ne pourra rien faire pour toi, mon garçon. Il ne s'agit pas d'une maladie, mais d'un trouble du langage. Il faut que tu suives une rééducation.

– Une duplication?

– Non. Un seul Odilon suffit, s'est-il moqué. Surtout en ce moment !

Je n'avais pas envie de rire. L'orthopailleur l'a compris. C'est pourquoi il est allé droit au but :

– Il faut que tu finisses de boire le mot, avec tout ce qui va avec : ses définitions et ses exemples…

Je me suis accroché aux yeux de Carmilla pour ne pas hurler. Il était hors de question que j'ouvre à nouveau un dictionnaire. C'était trop mauvais et ça me filait les chocottes.

PLUS JAMAIS !

cinq

Une paille XXL

J'AI SAISI MA PAILLE pour montrer à monsieur Chamot qu'elle était bouchée et que je ne pouvais plus m'en servir. Je n'osais plus prononcer un mot, de peur de dire des horreurs…

– Non, mon garçon. Celle-là est fichue. De toute façon, elle ne t'aurait servi à rien. Pour ingurgiter une définition du dictionnaire, il faut du costaud, du gros calibre !

Les pailles ordinaires sont beaucoup trop fines…

L'orthopailleur s'est dirigé vers un diplôme encadré au mur, sur lequel, en gros caractères, on pouvait lire : « Rémi Chamot, orthopailleur, Diplômé de la faculté de Dracuville, spécialiste en troubles des apprentissages des buveurs d'encre et en accidents de paille. » Il ne nous a pas laissé le temps de lire la suite, car il a vite écarté

le cadre. Derrière était dissimulé un petit coffre-fort, d'où monsieur Chamot a extrait une paille extraordinaire…

– Voilà la bête, Odilon, spécialement conçue pour l'absorption des dictionnaires dans un cas comme le tien! Avec une double paroi qui chauffe l'encre pour la rendre plus fluide!

– On dirait un grumeau de noyau de carrelage! me suis-je exclamé, horrifié.

Une fois de plus, j'aurais mieux fait de me taire.

– Que dit-il?

Seule Carmilla semblait me comprendre. Parce qu'elle m'aimait, sans doute…

– Odilon vient de dire: on dirait un morceau de tuyau d'arrosage.

L'orthopailleur a souri en me tendant l'engin. Je n'avais encore jamais eu entre les mains une paille aussi lourde.

– Magnifique comparaison, Odilon! Tu

es un peu l'arroseur arrosé! Pour réparer ta bêtise, tu dois la commettre à nouveau. C'est un peu comme si… je te vaccinais à retardement contre les dictionnaires. Mais cessons de bavarder. Le temps ne joue pas en notre faveur. Te souviens-tu du mot qui a bouché ta paille ordinaire?

C'était quoi déjà?

Un peu au hasard, j'ai dit:

– SA… SARRASIN!

– Mais non, Odilon! m'a contredit Carmilla. Ça, c'est le mot qu'on cherchait pour nos mots croisés. Tu te rappelles? «Plante originaire d'Orient, cultivée sous le nom de blé noir pour ses graines alimentaires»… Ce n'est pas «sarrasin» que tu as bu dans le dictionnaire.

Ma fiancée avait raison. Mais alors, c'était quel mot? J'avais un trou dans la tête. Le mot m'échappait.

– J'ai un goût d'armoire…

Tonton Draculivre et monsieur Chamot m'ont fixé sans comprendre.

– Il a un trou de mémoire, leur a calmement expliqué Carmilla.

– Voilà qui est fâcheux. Mais si tu te souviens des premières lettres du mot, alors rien n'est encore perdu. Cependant, il faut faire très vite maintenant, pour que les bouleversements dans ton cerveau ne deviennent pas irréversibles.

Une nouvelle fois, Carmilla est venue à ma rescousse.

– SA. Le mot bu par Odilon commence par S et A.

– SA… SA… SA… SA…

Un éclair a traversé ma tête et, soudain, tout m'est revenu !

– Salmibigoudis !

six

Un ragoût de mots

Tonton Draculivre et monsieur Chamot m'ont regardé, complètement découragés. Seule Carmilla souriait, et elle s'est exclamée :

— Salmigondis !

— Voilà un mot qui tombe à pic, a soupiré l'orthopailleur avec soulagement.

Il a posé devant moi un dictionnaire géant qui contenait tous les mots de la langue française.

– Parmi les deux mille pages de cet ouvrage se cache le mot qui te guérira. Trouve-le et bois-le sans attendre…

J'avais une boule dans la gorge. Je n'ai rien pu dire. Mon cœur battait à cent à l'heure tellement j'avais peur. Carmilla m'a embrassé sur le bout du nez pour me donner du courage.

TAGADA

TSOUIN TSOUIN

J'ai pris une grande inspiration avant d'ouvrir l'énorme ouvrage qui pesait au moins trois tonnes. J'ai tourné les pages jusqu'au S. Puis jusqu'à SA. Puis jusqu'à SAL. Il était là, le mot tant redouté, la cause de tous mes tourments ! SALMIGONDIS.

J'ai posé la lourde paille spéciale sur le S et j'ai tout aspiré…

1. *(Vieilli)* *(Cuisine)* Ragoût de diverses sortes de viandes réchauffées.

• *Elle fit un salmigondis de toutes les viandes qui étaient restées de la veille.*

2. *(Cuisine)* Repas festif où chacun des convives apporte un plat ou une partie du repas.

• *Je suis invité ce soir chez Lorenzo à un salmigondis.*

3. *(Figuré)* *(Familier)* Conversation, discours ou écrit où sont mêlées confusément toutes sortes de choses disparates.

• *Sa conversation n'est qu'un salmigondis.*
• *Ce livre est un salmigondis où il y a quelques bonnes choses mêlées à beaucoup de sottises.*
4. Personnes réunies au hasard.

Le goût était horrible, mais je me suis tout de suite senti mieux !

J'ai vu les visages de Draculivre et de Rémi Chamot se détendre. Carmilla m'est tombée dans les bras.

– J'ai toujours cru en toi, Odilon !

Alors j'ai prononcé mes premiers mots d'aplomb depuis mon imprudence :

– Merci, Carmilla. Tu es un amour…

Nos lèvres se sont frôlées. J'étais guéri !

J'ai refermé l'énorme dictionnaire et j'ai rendu la paille spéciale à son propriétaire.

– Merci, monsieur Chamot. Sans vous, je crois que je serais devenu muet de honte. Vous m'avez sauté la mie… heu, je veux dire… sauvé la vie !

Avant qu'on se sépare, il m'a murmuré une confidence qui m'a estomaqué.

– Tu sais, Odilon, tu n'es pas le premier. La même mésaventure est arrivée autrefois à Draculivre. Dans le dictionnaire, il avait bu le mot SANG. Il n'avait pas pu s'en empêcher. Mais, chut ! Ton vieux tonton n'a aucun sens de l'humour.

TABLE DES MATIÈRES

Éric Sanvoisin

Éric Sanvoisin est un auteur bizarre : il adore boire l'encre des p'tits bouquins avec une paille. C'est ce qui lui a donné l'idée d'écrire les histoires de Draculivre, Odilon et Carmilla… Il est persuadé que ceux qui liront ce livre deviendront ses frères d'encre, comme il existe des frères de sang.

Si vous voulez en savoir plus, retrouvez-le sur son blog : sanvoisin.over-blog.com.

Olivier Latyk

Notre illustrateur s'excuse, mais il est dans l'incapacité complète de rédiger une biographie. Poursuivi par un vampire mécontent, il se cache en Alaska, protégé par quatre gardes du corps (qui sont aussi ses copains). Aux dernières nouvelles, il continuait de fabriquer des images, sans trop trembler.

GRAND CONCOURS DE LECTURE ET D'ÉCRITURE !

Plumes
en herbe

Chaque année, les Éditions Nathan organisent le concours Plumes en herbe, destiné aux classes de CP et CE1 d'une part et de CE2, d'autre part.

À partir de la première partie de *Le buveur de dictionnaires* d'Éric Sanvoisin, les élèves étaient invités à écrire la suite de l'histoire.

Plus de 1 000 classes, soit environ 20 000 élèves, ont participé au concours. Nous t'invitons à découvrir ici l'histoire gagnante !

Bravo à la classe de CE2 de Valérie Legent, de l'école élémentaire publique de Chevry-en-Sereine :
Théo, Shoez, Marvyn, Amélie, Mathis, Marine, Llona, Elyah, Noan, Naomi, Léo, Marceau, Justine, Emma-Lisa, Hugo, Anaïs, Nicolas, Ema, Gabin, Eliott, Ewen, Pierre, Mathis, Quentin, Kilian, Lucie, Yelli, Teddy !

Ils gagnent la publication de leur histoire et un rallye découverte de 3 jours à Paris !

Pour découvrir toutes les histoires des élèves, rendez-vous sur **www.plumesenherbe.fr**

ÉCOLE ÉLÉMENTAIRE PUBLIQUE DE CHEVRY-EN-SEREINE

LE BUVEUR D'ENCRE

J'ai eu la définitite !

Théo, Shoez, Marvyn, Amélie, Mathis,
Marine, Llona, Elyah, Noan, Naomi, Léo,
Marceau, Justine, Emma-Lisa, Hugo, Anaïs,
Nicolas, Ema, Gabin, Eliott, Ewen, Pierre,
Mathis, Quentin, Kilian, Lucie, Yelli, Teddy

Classe de CE2 de Valérie Legent

Résumé des chapitres 1 et 2

Je m'appelle Odilon. Et malgré l'interdiction faite aux buveurs d'encre de boire les mots du dictionnaire, j'ai posé ma paille sur le mot « salmigondis » et je l'ai aspiré. Immédiatement, je suis tombé malade. À chaque fois que je voulais parler, j'employais un mot pour l'autre. Paniquée, mon amoureuse Carmilla a appelé au secours oncle Draculivre.

Selon le vieux buveur d'encre, l'heure était grave… et pour me soigner, il fallait sans tarder faire appel à un spécialiste.

Tonton Draculivre a abandonné son poème inachevé et s'est précipité dehors en flottant, comme à son habitude. Nous avons dû courir pour ne pas le perdre de vue. Où nous emmenait-il ?

La rencontre
avec le kinétionnaire

– MAIS OÙ ALLONS-NOUS, TONTON ? a demandé Carmilla.

– Odilon a fait une chose très grave et, si on ne le soigne pas au plus vite, j'ai peur de ce qui arrivera… a répondu tonton.

En entendant cela, j'ai commencé à avoir vraiment peur.

En plus, tonton volait si vite qu'on avait du mal à le suivre dans cette sombre forêt. Et tout à coup on l'a perdu de vue.

– Où est passé tonton ? a demandé Carmilla.

– Je bois qu'on l'a perdu, c'est normal il bol tellement frite !

– Mais j'ai pppppeur !

– T'inquiète pas chaussette, je suis là et tu vas rouler du plus fort que tu pues. Tu pètes ? Un, deux, quoi !

– Tonton ! Tonton Draculivre ! Ah, je pense l'avoir entendu, a dit Carmilla.

– Tu as prison, je bois l'apercevoir sous la bâche !

En effet, on a vu alors un petit point noir qui s'approchait de nous, c'était la robe noire de Draculivre.

– Où étiez-vous passés ? Vous ne pouvez pas aller un peu plus vite ? s'est énervé tonton.

– Mais tu vas trop frite, et nous on ne picole pas alors entends-nous ! ai-je rétorqué.

Nous sommes repartis plus calmement.

– Nous sommes arrivés à Lélivreville. Vite, allons à la rue de la Zizanie, a proposé tonton. C'est là que travaille le spécialiste qui aidera Odilon.

Mais encore une fois, il allait tellement vite qu'il a raté la rue.

— Tonton, tu es peut-être un bon poète mais tu n'as pas vraiment le sens de l'orientation ! s'est moquée Carmilla.

— Allons regarder le paon de la pile et nous poivrons rapidement la pomme rue, ai-je proposé.

Après quelques minutes, nous avons enfin trouvé le cabinet du kinétionnaire.

Nous sommes entrés dans la salle d'attente, et là, la porte s'est ouverte et nous avons découvert le spécialiste. C'était un petit homme tout rond avec une blouse blanche. Dans son visage, on ne voyait que sa grosse moustache et son bouton sur le nez ! Il m'a fait peur ! Il nous a demandé de le suivre dans son cabinet.

— Entrez et dites-moi qui est souffrant, a-t-il dit.

– C'est Odilon qui est malade, a précisé tonton.

– Qu'as-tu fait et que t'arrive-t-il?

– J'ai bu un porc bizarre dans le dictionnaire et ma paille s'est mouchée. Je me suis arrosé et depuis je n'arrive plus à gazer normalement.

– Ah, j'ai compris : je pense que tu as la définitite. Viens, nous allons faire une radio dans la salle d'à côté.

Le kinétionnaire a appuyé sur le bouton de son nez pour faire la radio puis a regardé son ordiloupe.

– Ah, le mot est coincé dans le fond de ta gorge ! Je peux même le lire : SALMIGONDIS…

– Quel remède y a-t-il? a demandé tonton.

– Le mot est trop profond dans sa gorge pour que je réussisse à l'attraper, mais heureusement j'ai une paille magique qui devrait faire l'affaire !

quatre

La paille magique

LE KINÉTIONNAIRE A SORTI de son tiroir une drôle de paille.

Elle était longue, faisait des serpentins et donnait l'impression d'être douce et légère comme un nuage.

– C'est avec cette racaille que je vais pourrir ? ai-je demandé.

– Oui, mais à condition que tu te laisses soigner comme il faut !

– Oh, mais cette taille a une petite jupette ? De drôles d'abeilles ? Et même des vieux ?

– En effet, sa tête est une petite caméra

pour repérer le mot que tu as bu, ses oreilles sont des pinces qui permettront de capturer le mot et ses yeux sont des petits lasers aspirateurs…

– Ouah, mais c'est payable ! Mais est-ce que je vais avoir marmelade ?

– Non, regarde : c'est tout doux. Tu ne sentiras rien.

J'ai ouvert la bouche et la paille est entrée dans ma gorge.

– Oh, ça couche, j'ai envie de picoler ! me suis-je exclamé.

– Ne bouge pas, j'y étais presque et voilà que le mot est tombé.

– C'est vrai, je l'ai senti raser et maintenant j'ai gomme un pingouin sur l'escargot.

– Bon, je vais donc continuer ma chasse mais je vais avoir besoin de votre aide.

– Que doit-on faire ? ont demandé mes amis.

– Carmilla, prend la boîte sur mon bureau, et Draculivre, attrape le filet à papillons. Quand la paille va aspirer le mot, il va sortir d'un coup et vous devrez l'attraper et le ranger dans la boîte. Prêts ?

La paille s'est enfoncée profondément et alors j'ai vu le mot « SALMIGONDIS » jaillir hors de moi. Tonton l'a attrapé dans son filet.

– Approche la boîte, Carmilla !

– Mission accomplie, a dit le kinétionnaire.

– Est-ce que je suis gorille ?

– Oh, Odilon mélange encore les mots, a soupiré Carmilla.

– C'est normal, il faut que le mot retrouve sa place !

– Alors ne pendons pas de paon et retournons tout de suite à la raison.

– Attendez ! Pour recoller le mot il faut dire : « Abracadabra, un peu de colle sur le mot, Salmigondis retrouve ta définition et coucouche panier dans ton berceau ! »

Nous sommes rentrés le plus vite possible.

– Alligator le dictionnaire que j'arrive à danser normalement.

– Attention ! Voilà, alors parle mon chéri !

– Je ne sais pas quoi dire !

– Tu parles normalement ! C'est merveilleux ! s'est exclamée ma chérie.

– Eh bien, les enfants, je retourne à mon poème, a dit tonton.

– Et nous, il nous reste des mots croisés à finir, a précisé Carmilla. Où en étions-nous ?

– Alors… « plante originaire d'Orient… » qui commence par SA…

– Sarrazin ! Ce sont des graines pour faire une farine noire !

– Mais oui, a ajouté Carmilla, on fait des crêpes avec !

– Et plus digestes que le SALMIGONDIS !
ai-je ajouté.

Depuis ce jour, Carmilla et moi sommes
incollables en mots croisés.

Tonton a publié ses poèmes et je conseille
à tous les buveurs d'encre de les lire jusqu'à
la dernière goutte.

Le buveur d'encre qui écrivait des mots d'amour

Une série écrite par Éric Sanvoisin
Illustrée par Olivier Latyk

« – Viens boire un livre avec moi, Odilon !

– J'ai pas la tête à ça, Carmilla.

– Allez ! J'ai pris notre paille-tandem préférée !

L'invitation de Carmilla était tentante, mais je n'avais pas faim. Elle a quand même insisté.

– Tu vas voir, j'ai choisi un bouquin aux petits oignons. Un roman de cape et d'épée avec des batailles comme tu les aimes et une merveilleuse histoire d'amour […]

– Une autre fois, Carmilla. Suis-moi plutôt. J'ai quelque chose à te montrer. C'est à propos de tonton… »

Odilon est inquiet : Draculivre se comporte bizarrement. Et si le vieux buveur d'encre était amoureux ?